COLLECTION
LES MILLE MOTS

11.60

AUTOUR DU MONDE
EN ANGLAIS

Avec un guide de prononciation simplifié

Carol Watson
Illustrations de David Mostyn

Conseillère : Betty Root

éditions du pélican

In the city

church

garage

house

park

bus stop

traffic lights

crossing

advertise-ment

road sign

hotel

factory

shop

chimney

waiter

fire station

fire engine

4

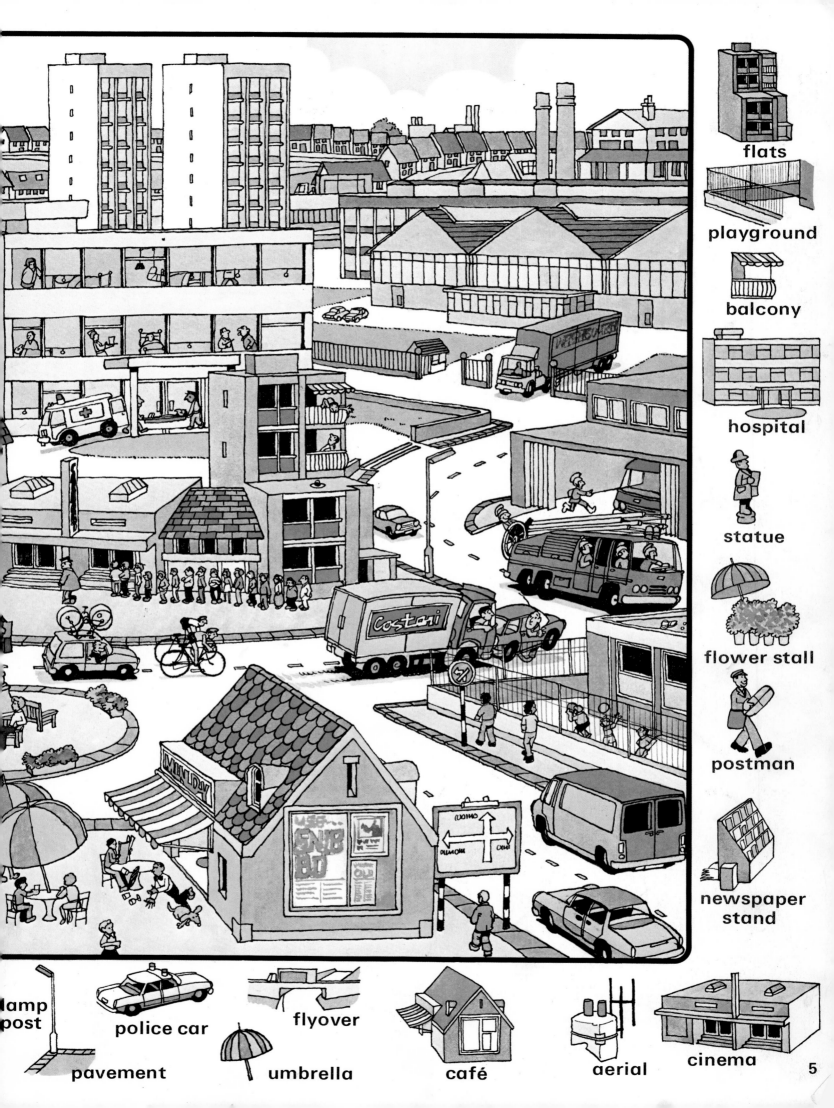

flats

playground

balcony

hospital

statue

flower stall

postman

newspaper stand

lamp post

police car

flyover

pavement

umbrella

café

aerial

cinema

5

On the move

train

rickshaw

biplane

van

bicycle

horse box

horse and cart

hot air balloon

sports car

bus

transporter

petrol tanker

hang glider

tank

monorail

trailer

6

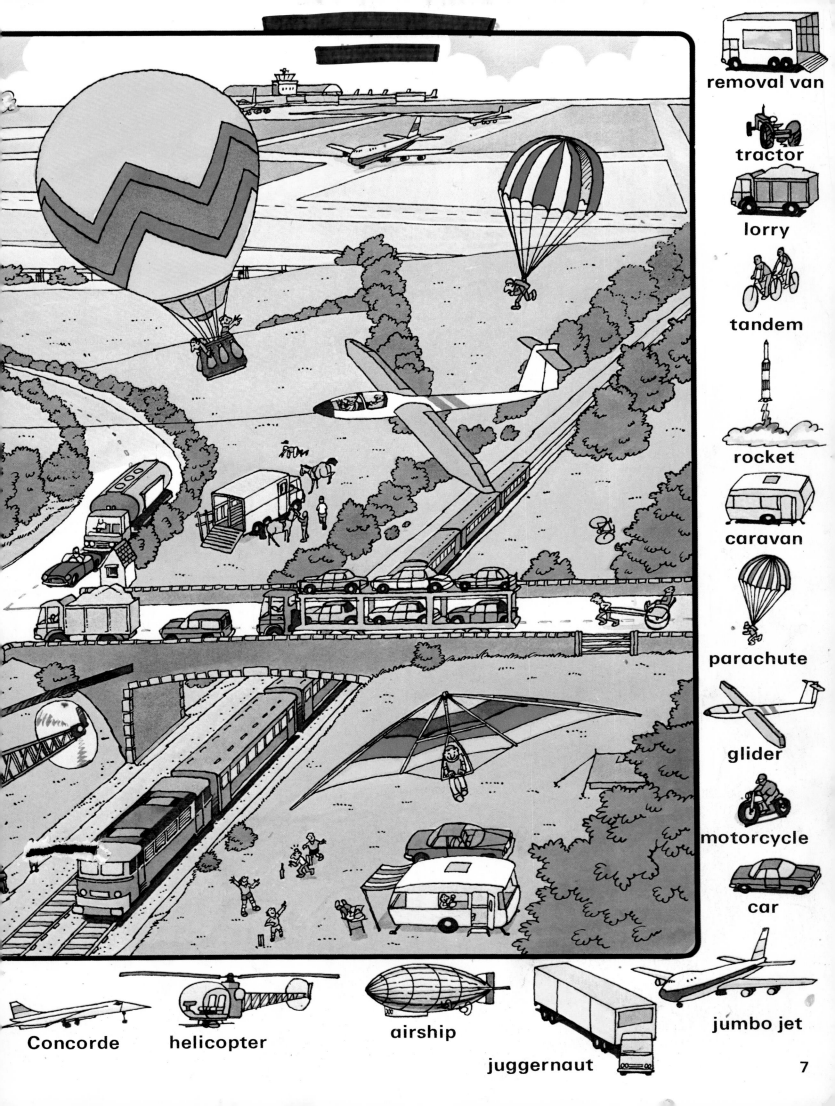

removal van

tractor

lorry

tandem

rocket

caravan

parachute

glider

motorcycle

car

jumbo jet

Concorde

helicopter

airship

juggernaut

7

On the water

net

hamper

river

weir

canal

bulrushes

canoe

bridge

rod

line

fisherman

8 deckchair

barge

duck

duckling

aqueduct

raft

lockgates

motorboat

outboard motor

rubber dinghy

jetty

boathouse

reeds

houseboat

paddle

float

cabin cruiser

swan

rowing boat

oar

9

In the harbour

tug

hovercraft

crane

bollard

warehouse

buoy

sacks

box

porthole

submarine

10

docker

barge

funnel

car ferry

container

flag

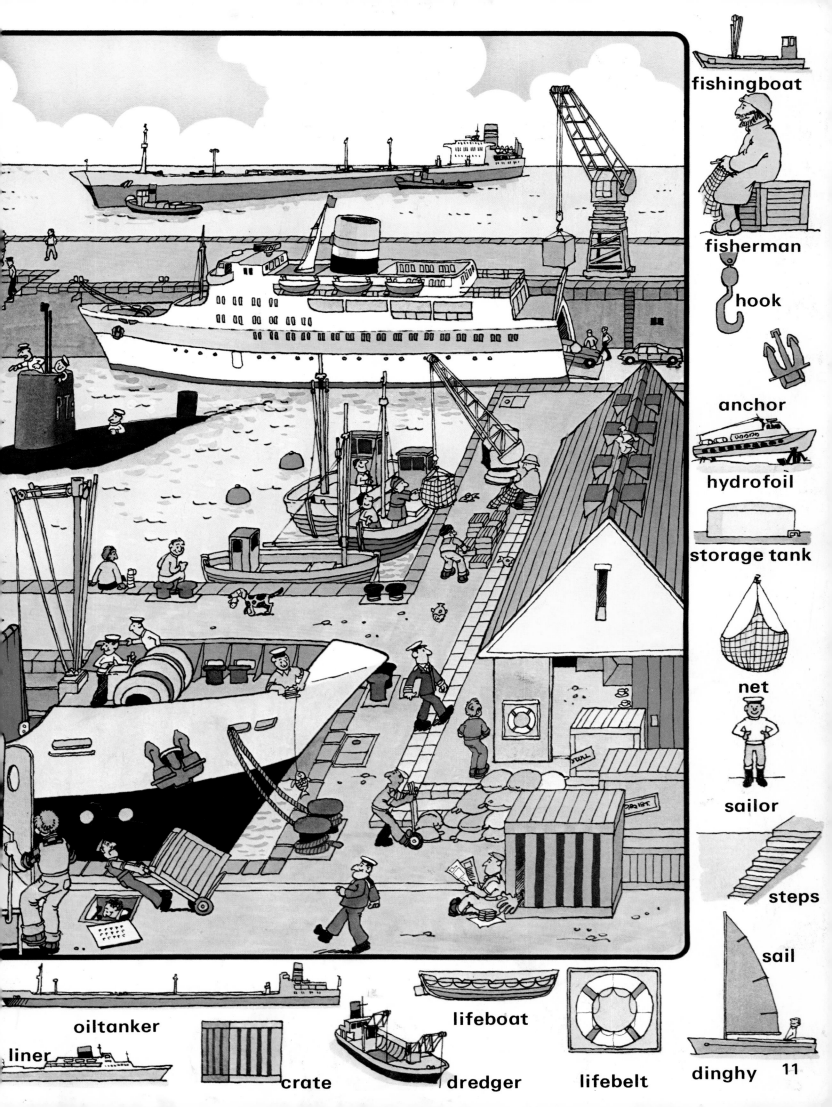

fishingboat

fisherman

hook

anchor

hydrofoil

storage tank

net

sailor

steps

sail

oiltanker

liner

crate

lifeboat

dredger

lifebelt

dinghy

11

Up the mountains

rock

climber

rope

sheep

goat

eagle

peak

ice axe

12 glacier

mountain lion

skis

stones

fir tree

cave

map

walker

ski lift

boulder

haversack

waterfall

bear

cub

antler

moose

log cabin

lumberjack

forest

binoculars

log

climbing boots

saw

axe

lake

In the desert

donkey

saddle

kangaroo rat

nomad

camel

desert fox

oil well

ostrich

antelope

hawk

sand

dune

thornbush

well

desert turt

14

gazelle

jeep

palm tree

blanket

skull

skeleton

snake

hare

vulture

ant

tent

oasis

lizard

scorpion

desert lily

15

Under the sea

shark

fin

fish

mask

aqualung

sand

pebbles

sponge

rock

wreck

treasure chest

rope

cave

starfish

16

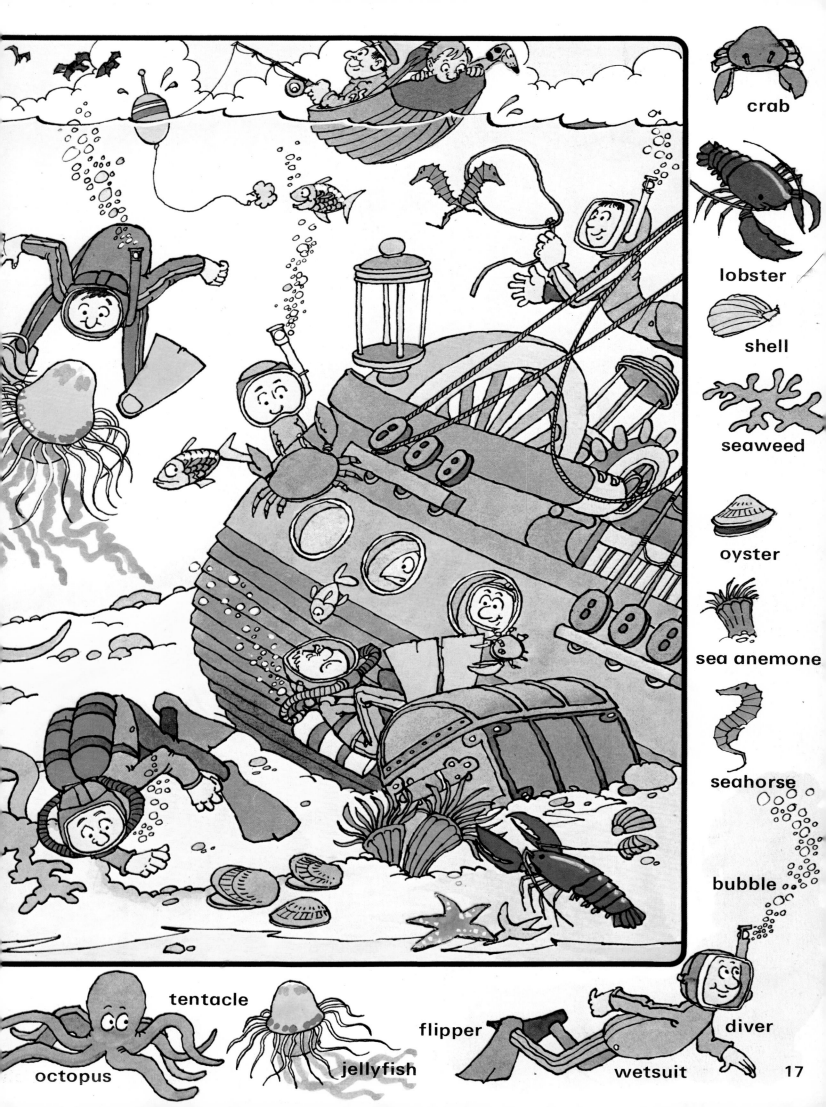

crab

lobster

shell

seaweed

oyster

sea anemone

seahorse

bubble

octopus

tentacle

jellyfish

flipper

wetsuit

diver

17

gorilla

bamboo

creeper

toucan

spider

arrow

hunter

treefrog

butterfly

In the jungle

18 canoe

scientist

mushroom

jaguar

chimpanzee

chameleon

snake

bat

tapir

monkey

crocodile

bushbaby

sloth

parrot

tracks

orchid

humming bird

tree trunk

leaf

rope bridge

anteater

19

Cold lands

iceberg

ice

husky dog

hood

harpoon

goggles

icicle

snowman

snowball

igloo

ski plane

icebreaker

tern

seal

kayak

20

reindeer

walrus

polar bear

snow

snowtractor

sledge

whale

white fox

Eskimo

snowcat

snowy owl

snowshoes

mittens

snowmobile

shield

drum

bonfire

hoop

acrobat

witch

juggler

wig

22

Carnival time

scarf

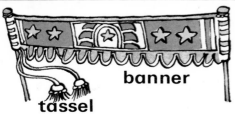
banner

tassel

plume

helmet

mask

lantern

cloak

fireworks

dancer

stilts

broomstick

clown

earring

canopy

feather

balloons

spurs

flame

candle

spear

flag

carriage

23

Making music

French horn

drums

drumsticks

castanets

tambourine

oboe

triangle

electric guitar

music stand

conductor

organ

sitar

accordion

concertina

xylophone

bassoon

trumpet

harmonica

cello

24

tuba

balalaika

violin

bow

saxophone

cymbals

harp

recorder

maracas

pagpipes

handbell

guitar

clarinet

trombone

banjo

flute

double bass

piano

25

shish kebab

pancake

hot dog

turkey

peach

oysters

chips

apple

ice cream

frankfurters

spaghetti

Food and drink

plum

hamburger

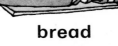

bread

milk

tomato

coffee

26

strawberries

beer

sandwich

cheese

fish

pie

tea

wine

cake

jelly

pear

cherries

lemonade

snails

corn on the cob

rice

salad

27

Clothes

grass skirt

boots

kimono

jeans

bow tie

kaftan

cap

cassock

28 beret

cape

bowler hat

bolero

slippers

shawl

stetson

bonne

tracksuit

top hat

poncho

kilt

sombrero

sari

fez

yashmak

space suit

coolie hat

sandals

turban

chaps

tuxedo

clogs

habit

tailcoat

29

Growing things

tobacco

rice

dates

wheat

cabbages

coconuts

tulips

cotton

grapes

cocoa

tea

pineapples

sunflowers

coffee

sugar cane

bananas

timber

31

Dangers

iceberg

quicksand

tidal wave

volcano

earthquake

hurricane

waterspout

forest fire

avalanche

lightning

blizzard

tornado

sandstorm

flood

33

Houses and homes

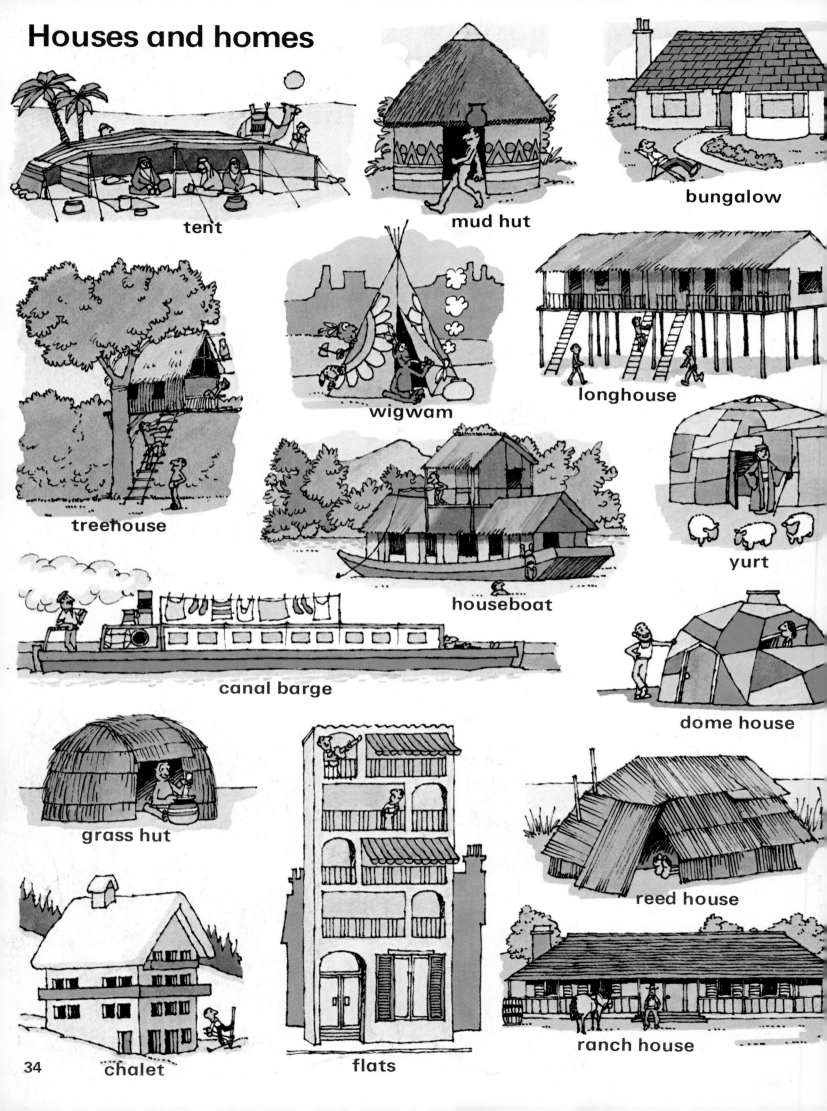

tent

mud hut

bungalow

treehouse

wigwam

longhouse

houseboat

yurt

canal barge

dome house

grass hut

reed house

chalet

flats

ranch house

paper house

farmhouse

lighthouse

cave house

gypsy caravan

cottage

stilthouse

castle

fort

log cabin

sampan

terraced house

35

Animals

orang-utan

bison

wombat

koala bear

marmoset

lion

beaver

yak

giant tortoise

hippopotamus

racoon

zebra

elephant

badger

dolphin

chipmunk

gibbon

giant panda

llama

tiger

skunk

gnu

lemur

porcupine

armadillo

hyena

baboon

kangaroo

giraffe

wolf

leopard

rhinoceros

Famous buildings and places

1 Ludwig's Castle
— Germany

2 The Golden Gate Bridge
— USA

3 Leaning Tower of Pisa
— Italy

4 The Blue Mosque
— Iran

5 Sydney Opera House
— Australia

7 Mount Everest
— Nepal

6 Niagara Falls
— USA and Canada

8 The Eiffel Tower
— France

9 Stonehenge
— England

10 St Basil's Cathedral
— Russia

11 **The Taj Mahal**
— India

12 **Pyramid and Sphinx**
— Egypt

13 **The Grand Canyon**
— USA

14 **The Tower of London**
— England

15 **The Parthenon**
— Greece

16 **The Statue of Liberty**
— USA

17 **The Colosseum**
— Italy

18 **Cape Kennedy**
— USA

19 **The Temple of Heaven**
— China

Regarde la carte des deux pages suivantes. En faisant correspondre les nombres, tu sauras où tous ces endroits se trouvent dans le monde.

Map of the world

GREENLAND

igloo

ARCTIC OCEAN

ALASKA   Eskimo

fishing boat

CANADA

6

9 4

UNITED STATES OF AMERICA

16

8   1

hovercraft

EUROPE

3

2   13

rocket

17

18

Concorde

ATLANTIC OCEAN

AFRIC

liner

SOUTH AMERICA

PACIFIC OCEAN

dinghy

Comment s'appellent ces animaux ?
Ils sont tous dans ce livre.

40

Les numéros sur la carte montrent où sont situés tous les monuments et les sites mentionnés aux pages 38 et 39.

hot air balloon

RUSSIA

PACIFIC OCEAN

tidal wave

19

CHINA

7

4

11

submarine

oil well

INDIA

oiltanker

jumbo jet

AUSTRALIA

NEW ZEALAND

helicopter

icebreaker

ANTARCTICA

snowcat

INDEX DES MOTS ILLUSTRÉS

Voici la liste alphabétique de tous les mots illustrés dans ce livre. Le mot anglais vient en premier lieu, suivi de sa prononciation simplifiée et de sa traduction. La prononciation simplifiée des mots est un guide pour vous aider à les dire correctement. Peu importe s'ils vous paraissent étranges ou amusants ; lisez-les comme des mots français, en tenant compte des règles suivantes :
— En anglais on prononce toujours la consonne finale.
— Le « r » anglais se prononce avec la partie avant de la langue, comme le « l », en relevant la pointe de la langue vers le palais.
— A la fin d'un mot ou devant une consonne, le « r » est à peine prononcé. Son effet est d'allonger la voyelle qui le précède (ex. : bear [béeu(r)]).
Certaines sonorités anglaises sont inconnues en français. La transcription de la prononciation ne peut donc être qu'approximative.
Par exemple, le **a** de **a**nt [ante] se prononce entre le *a* et le *e*, comme dans p**a**tte. Le **e** de antl**e**r [antel**eu**(r)] se prononce comme le *eu* de b**eu**rre. Il existe également en anglais un **o** ouvert (ex. : sh**o**p [ch**o**pe]) qui se rapproche du **o** de b**o**l. Un autre son fréquent, entre le *a* et le *eu* (ex. :

œuf), se retrouve dans des mots tels que dr**u**m [dr**œu**me], h**u**nter [h**œu**nteu(r)].
th (thornbush), **s** : son « s » en projetant la langue entre les dents.
th (feather), **z** : son « z » en zézayant.
De plus, certaines voyelles donnent un son particulier en anglais. Exemple :
oboe (hautbois) *ôoubôou* ;
g**oa**t (chèvre) *gôoute* ;
cr**a**te (cageot) *kréite* ;
sp**i**der (araignée) *spaïdeu(r)* ;
m**ou**ntain (montagne) *maountine*.
A noter, **c** : *k*
      g : *gue*
      j : *dj*
      w : *ou*, comme whisky, William
      y : *i* ou *aï* : ex. : balcon**y** [balkeun**i**], fl**y**over [fl**aï**-ôouveu(r)].
Pour transcrire le son anglais « ing » prononcé en séparant chaque lettre, on a intercalé un (e) muet entre les deux consonnes.

English	Pronunciation	French
bus stop	*bœuss stope*	arrêt d'autobus
bushbaby	*bouchbeïbi*	galago
butterfly	*bœuteu(r)flaïe*	papillon
cabbage	*kabidje*	chou
cabin cruiser	*kabine krouzeu(r)*	bateau de plaisance
café	*kaféï*	café (lieu)
camel	*kameul*	chameau
Canada	*kaneudeu*	Canada
canal	*keunal*	canal
canal barge	*keunal bâadje*	péniche d'habitation
candle	*kanndeul*	bougie
canoe	*kennou*	canoë
canopy	*kaneupi*	dais
cap	*kap*	casquette
cape	*kéïpe*	cape
Cape Kennedy	*kéïpe Kénédi*	cap Kennedy
car	*kâa(r)*	voiture
car ferry	*kâa(r) féri*	bac à voitures
caravan	*kareuvane*	caravane
carnival time	*kâaniveul taïme*	carnaval
carriage	*karidje*	char, voiture
cassock	*kasseuk*	soutane
castanets	*kasteunètss*	castagnettes
castle	*kâasseul*	château
cave	*kéïve*	grotte
cave house	*kéïve haousse*	maison-troglodyte
cello	*tchélo*	violoncelle
chalet	*chaléï*	chalet
chameleon	*keumiilieune*	caméléon
chaps	*chapss*	pantalon de cuir (de cow-boy)
cheese	*tchiiz*	fromage
cherries (cherry)	*tchèriz (tchèri)*	cerises (cerise)
chimney	*tchimni*	cheminée
chimpanzee	*tchim(e)panzii*	chimpanzé
China	*tchaïneu*	Chine
chipmunk	*tchipmœunke*	tamia
chips	*tchipss*	frites
church	*tchœutch*	église
cinema	*cineuma*	cinéma
in the city	*ine zeu siti*	dans la ville
clarinet	*klarinette*	clarinette
climber	*klaïmeu(r)*	alpiniste
climbing boots	*klaïmin(e)g boutss*	chaussures de montagne
cloak	*klôouk*	manteau, cape
clogs	*klogz*	sabots
clothes	*klôouzz*	vêtements
clown	*klaoune*	clown
cocoa	*kôoukôou*	cacao
coconut	*kôoukeunœute*	noix de coco
coffee	*kofi*	café
cold lands	*kôoulde landz*	pays froids
Colosseum	*kolossieume*	Colisée
concertina	*konseutiineu*	concertina
Concorde	*konkôo(r)de*	Concorde
conductor	*keundœukteu(r)*	chef d'orchestre
container	*keuntéïneu(r)*	conteneur
coolie hat	*kouli hate*	chapeau chinois
corn (on the cob)	*kôo(r)ne (one zeu kobe)*	maïs (sur l'épi)
cottage	*kotidje*	chaumière
cotton	*kot(e)ne*	coton
crab	*krabe*	crabe
crane	*kréïne*	grue
crate	*kréïte*	caisse à claire-voie, cageot
creeper	*kriipeu(r)*	liane
crocodile	*krokodaïle*	crocodile
crossing	*krossin(e)g*	passage pour piétons
cub	*koeube*	bébé animal (ici : ourson)
cymbals	*sim(e)beulz*	cymbales
dancer	*dâanseu(r)*	danseur, danseuse
danger	*déïndjeu(r)*	danger
date	*déïte*	datte
deckchair	*dèktchèeu(r)*	transat
in the desert	*ine zeu dézeute*	dans le désert
desert fox	*dézeute foks*	renard du désert
desert lily	*dézeute lili*	lis du désert
desert turtle	*dézeute teu(r)teul*	tortue du désert
dinghy	*din(e)gui*	canot (ici : à voile)
diver	*daïveu(r)*	plongeur
docker	*dokeu(r)*	docker
dolphin	*dolfine*	dauphin
dome house	*dôoume haousse*	maison en dôme
donkey	*donki*	âne
double bass	*dœubeul béïsse*	contrebasse
dredger	*drédjeu(r)*	dragueur
drum	*drœume*	tambour
drumsticks	*drœumsstiks*	baguettes de tambour
duck	*dœuk*	canard
duckling	*dœuklin(e)g*	caneton
dune	*dioune*	dune
eagle	*iigueul*	aigle
earring	*ieurin(e)g*	boucle d'oreille
earthquake	*eu(r)skwéïke*	tremblement de terre
Egypt	*iidjipte*	Égypte
Eiffel Tower	*éfeul taoueu(r)*	tour Eiffel
electric guitar	*iléktrik guitâa(r)*	guitare électrique
elephant	*éleufeunte*	éléphant
England	*inegleunde*	Angleterre
Eskimo	*èskimo*	Esquimau
Europe	*ioueureupe*	Europe
factory	*fakt(e)ri*	usine
famous buildings and places	*féïmeusse bildin(e)gz ènnde pléïssize*	monuments et sites connus

English	Phonetic	French	English	Phonetic	French
farmhouse	*fâa(r)me-haousse*	ferme	habit	*habite*	habit (de religieuse)
feather	*fézeu(r)*	plume	hamburger	*hambeu(r)gueu(r)*	hamburger
fez	*fèze*	fez	hamper	*hampeu(r)*	panier d'osier, bannette
fin	*fine*	aileron			
fir tree	*feu(r) trii*	sapin	handbell	*handebèl*	clochette
fire engine	*faïeu(r) èndjine*	voiture de pompiers	hang glider	*hangue glaïdeu(r)*	aile volante
fire station	*faïeu(r) stéïcheune*	caserne de pompiers	in the harbour	*ine zeu hâabeu(r)*	dans le port
			hare	*héeu(r)*	lièvre
fireworks	*faïeuoueu(r)kss*	feu d'artifice	harmonica	*hâa(r)monikeu*	harmonica
fish	*fiche*	poisson	harp	*hâa(r)pe*	harpe
fisherman	*ficheu(r)meune*	pêcheur	harpoon	*hâa(r)poune*	harpon
fishing-boat	*fichin(e)g-bôoute*	bateau de pêche	haversack	*haveussak*	sac à dos
flag	*flague*	drapeau	hawk	*hôok*	faucon
flame	*fléïme*	flamme	helicopter	*hélikopteu(r)*	hélicoptère
flats	*flatss*	appartements	helmet	*hélmite*	heaume, casque
flipper	*flipeu(r)*	palme (d'homme-grenouille)	hippopotamus	*hipopotameusse*	hippopotame
			hood	*houde*	capuchon
float	*flôoute*	bouchon (de pêcheur)	hook	*houk*	crochet
			hoop	*houpe*	cerceau
flood	*flœude*	inondation	horse box	*hôo(r)sse boks*	van
flower stall	*flaoueu(r) stôole*	étalage de fleurs	horse and cart	*hôo(r)sse ènnde kâa(r)te*	voiture à cheval
flute	*floute*	flûte			
flyover	*flaï-ôouveu(r)*	pont routier, échangeur	hospital	*hosspiteule*	hôpital
			hot air balloon	*hotte air beuloune*	montgolfière
food and drink	*foude ènnde drin(e)k*	nourriture et boisson	hot dog	*hotte dogue*	hot dog
			hotel	*hôoutèl*	hôtel
forest	*foriste*	forêt	house	*haousse*	maison
forest fire	*foriste faïeu(r)*	incendie de forêt	houses and homes	*haouziz ènnde hôoumsse*	lieux d'habitation
fort	*fôote*	fort			
France	*frâansse*	France	houseboat	*haousse-bôoute*	péniche d'habitation
frankfurter	*frankfeuteu(r)*	saucisse de Francfort	hovercraft	*hoveukrâafte*	aéroglisseur
			humming bird	*hœummin(e)g beu(r)de*	oiseau-mouche
French horn	*fréntche hôo(r)ne*	cor anglais			
funnel	*fœuneul*	cheminée (de bateau)	hunter	*hœunteu(r)*	chasseur
			hurricane	*hœurikeune*	ouragan
			husky dog	*hœuski dogue*	chien de traîneau
			hydrofoil	*haïdrofoïl*	hydroglisseur
			hyena	*haïina*	hyène
garage	*garèdje*	garage			
gateau	*gatôou*	gâteau			
gazelle	*gazèl*	gazelle			
Germany	*djeu(r)meni*	Allemagne			
giant panda	*djaïeunte pandeu*	panda géant			
giant tortoise	*djaïeunte tôoteuss*	tortue géante	ice	*aïsse*	glace
gibbon	*guibeune*	gibbon	ice axe	*aïsse aks*	piolet
giraffe	*djirâafe*	girafe	ice cream	*aïssekriime*	glace (à manger)
glacier	*glassieu(r)*	glacier	iceberg	*aïssebeu(r)gue*	iceberg
glider	*glaïdeu(r)*	planeur	icebreaker	*aïssebréïkeu(r)*	brise-glace
gnu	*guenou*	gnou	icicle	*aïssikeul*	glaçon
goat	*gôoute*	chèvre	igloo	*iglou*	igloo
goggles	*gogueulz*	lunettes	India	*inedieu*	Inde
Golden Gate Bridge	*gôouldeune guéïte bridje*	pont du Golden Gate	Iran	*irâane*	Iran
			Italy	*iteuli*	Italie
gorilla	*gorila*	gorille			
Grand Canyon	*grande canieune*	Grand Canyon			
grapes	*gréïpss*	raisin			
grass hut	*grâasse hœute*	hutte d'herbes			
grass skirt	*grâasse skeu(r)te*	paréo	jaguar	*djagoueu(r)*	jaguar
Greece	*griisse*	Grèce	jeans	*djiins*	pantalon, blue-jean
Greenland	*griinelande*	Groenland	jeep	*djiipe*	jeep
growing things	*grôouin(e)g sin(e)gz*	les choses qui poussent	jelly	*djéli*	gelée (généralement sucrée)
guitar	*guitâa(r)*	guitare			
gypsy caravan	*djipsi kareuvane*	roulotte de gitans	jellyfish	*djélifiche*	méduse

jetty	*djéti*	jetée
juggernaut	*djeugueu(r)nôote*	semi-remorque
juggler	*djœugleu(r)*	jongleur
jumbo jet	*djœumbôou djète*	jumbo jet
in the jungle	*ine zeu djeungueul*	dans la jungle

kaftan	*kaftane*	caftan
kangaroo	*kangueurou*	kangourou
kangaroo rat	*kangueurou rate*	rat-kangourou
kayak	*kaïak*	kayak
kilt	*kilt*	kilt
kimono	*kimôounôou*	kimono
koala bear	*kôouâala béeu(r)*	koala

lake	*léïke*	lac
lamp post	*lampe pôouste*	réverbère
lantern	*lanteune*	lanterne
leaf	*liife*	feuille
Leaning Tower of Pisa	*liinin(e)g taoueu(r) ov piiza*	tour penchée de Pise
lemonade	*lémeunéïde*	limonade
lemur	*liimeu(r)*	maki
leopard	*lépeude*	léopard
lifebelt	*laïfe-bèlte*	ceinture de sauvetage
lifeboat	*laïfe-bôoute*	canot de sauvetage
lighthouse	*laïte-haousse*	phare
lightning	*laïtnin(e)g*	éclair
line	*laïne*	ligne (de canne à pêche)
liner	*laïneu(r)*	paquebot
lion	*laïeune*	lion
lizard	*lizeude*	lézard
llama	*lâameu*	lama
lobster	*lobssteu(r)*	homard
lockgates	*lokguéïtss*	portes d'écluse
log	*logue*	bûche
log cabin	*logue kabine*	cabane de rondins
longhouse	*lon(e)g-haousse*	maison de Bornéo
lorry	*lori*	camion
Ludwig's Castle	*loudvigss-kâasseul*	château de Louis II de Bavière
lumberjack	*lœumbeu(r)-djak*	bûcheron

making music	*méïkin(e)g miousik*	faire de la musique
map	*mape*	carte
map of the world	*mape ov zeu oueu(r)ld*	carte du monde
maracas	*meurakeuze*	maracas
marmoset	*mâameuzète*	ouistiti
mask	*mâask*	masque
milk	*milk*	lait
mittens	*mit(e)nz*	mitaines
monkey	*mœunki*	singe

monorail	*monoréïl*	monorail
moose	*mousse*	élan
motorboat	*môouteu(r)-bôoute*	bateau à moteur
motorcycle	*môouteu(r)-saïkeul*	motocyclette
Mount Everest	*maounte évereste*	mont Everest
mountain lion	*maountine laïeune*	puma
up the mountains	*œupe zeu maountin(e)z*	en montagne
on the move	*one zeu mouve*	en mouvement (les moyens de transport)
mud hut	*mœude hœute*	hutte de terre
mushroom	*mœuch(e)roume*	champignon
music stand	*miousik stande*	pupitre à musique

Nepal	*népôol*	Népal
net	*nète*	épuisette, filet
newspaper stand	*niouzepéïpeu(r) stande*	kiosque à journaux
New Zealand	*niou-ziileunde*	Nouvelle-Zélande
Niagara Falls	*naïagueura fôolz*	chutes du Niagara
nomad	*nôoumade*	nomade

oar	*ôo(r)*	rame
oasis	*oéïsisse*	oasis
oboe	*ôoubôou*	hautbois
octopus	*oktopeusse*	pieuvre
oiltanker	*oïltankeu(r)*	pétrolier
oil well	*oïl ouelle*	puits de pétrole
orang-utan	*oran(e)g-outan(e)g*	orang-outan
orchid	*ôo(r)kide*	orchidée
organ	*ôo(r)gueune*	orgue
ostrich	*ostritche*	autruche
outboard motor	*aoutbôo(r)de môouteu(r)*	moteur de hors-bord
oyster	*oïssteu(r)*	huître

Pacific Ocean	*peusifik ôoucheune*	océan Pacifique
paddle	*padeul*	pagaie
palm tree	*pâame trii*	palmier
pancake	*pannekéïk*	crêpe
paper house	*péïpeu(r) haousse*	maison de papier
parachute	*pareuchoute*	parachute
park	*pâak*	parc, jardin public
parrot	*pareute*	perroquet
Parthenon	*pâaseunone*	Parthénon
pavement	*péïvmeunte*	trottoir
peach	*piitche*	pêche (fruit)
peak	*piik*	pic, cime (de montagne)
pear	*pèeu(r)*	poire
pebble	*pèbeul*	galet
petrol tanker	*pétrol tankeu(r)*	camion-citerne
piano	*pianôou*	piano

pie	*paï*	tourte
pineapple	*païnapeul*	ananas
playground	*pléïgraounde*	terrain de jeu
plum	*plœume*	prune
plume	*ploume*	plume
polar bear	*pôouleu(r) béeu(r)*	ours blanc
police car	*poliss-kâa(r)*	voiture de police
poncho	*pontchôou*	poncho
porcupine	*pôokioupaïne*	porc-épic
porthole	*pôothôoule*	hublot
postman	*pôoustmeune*	facteur
Pyramid and Sphinx	*pireumide ènnde sfin(e)ks*	une pyramide et le Sphinx
quicksand	*kouiksande*	sables mouvants
racoon	*rakoune*	raton laveur
raft	*râafte*	radeau
ranch house	*rantche haousse*	ranch
recorder	*rikôodeu(r)*	flûte à bec
reed	*riide*	roseau
reed house	*riide haousse*	cabane de roseaux
reindeer	*réïndieu(r)*	renne
removal van	*rimouveul vane*	camion de déménagement
rhinoceros	*raïnosseureuss*	rhinocéros
rice	*raïss*	riz
rickshaw	*rikchôo*	pousse-pousse
river	*riveu(r)*	rivière
road sign	*rôoude saïne*	panneau indicateur
rock	*rok*	rocher
rocket	*rokit*	fusée
rod	*rode*	canne à pêche
rope	*rôoupe*	corde
rope bridge	*rôoupe bridje*	passerelle de corde
rowing boat	*rôouin(e)g bôoute*	bateau à rames
rubber dinghy	*rœubeu(r) din(e)gui*	canot pneumatique
Russia	*rœucheu*	Russie, URSS
sack	*sak*	sac
saddle	*sadeul*	selle
sail	*séïl*	voile
sailor	*séïleu(r)*	marin
St Basil's cathedral	*seunte bazeulz keuṣiidreul*	cathédrale Saint-Basile
salad	*saleude*	salade
sampan	*sampane*	sampan
sand	*sande*	sable
sandals	*sandeulz*	sandales
sandstorm	*sandestôome*	tempête de sable
sandwich	*sandouitche*	sandwich
sari	*sari*	sari
saw	*sôo*	scie
saxophone	*sakseufôoune*	saxophone
scarf	*skâafe*	écharpe
scientist	*saïeuntiste*	savant
scorpion	*skôopieune*	scorpion
under the sea	*œundeu(r) ẓeu sii*	sous la mer (le monde sous-marin)
sea anemone	*sii anémeuni*	anémone de mer
seahorse	*siihôo(r)sse*	hippocampe
seal	*siil*	phoque
seaweed	*siiouiide*	algue
shark	*châa(r)k*	requin
shawl	*chôol*	châle
sheep	*chiipe*	mouton
shell	*chèl*	coquillage
shield	*chiilde*	bouclier
shish kebab	*chich kébab*	brochette
shop	*chope*	magasin, boutique
sitar	*sitâa(r)*	sitar
skeleton	*skéliteune*	squelette
ski lift	*skii lifte*	remonte-pente
ski plane	*skii pleïne*	avion à skis
skis	*skiiz*	skis
skull	*skœul*	crâne
skunk	*skœunk*	putois
sledge	*slèdje*	traîneau
slippers	*slipeu(r)z*	pantoufles, babouches
sloth	*sloṣ*	paresseux
snail	*snéïle*	escargot
snake	*snéïke*	serpent
snow	*snôou*	neige
snowball	*snôou-bôol*	boule de neige
snowcat	*snôou-kate*	autochenille
snowman	*snôou-mane*	bonhomme de neige
snowmobile	*snôou-mobiile*	scooter des neiges
snowshoes	*snôou-chouze*	raquettes
snowtractor	*snôou-trakteu(r)*	tracteur à chenilles
snowy owl	*snôoui aoul*	harfang des neiges
sombrero	*somebrèro*	sombrero
South America	*saouṣ eumérikeu*	Amérique du Sud
space suit	*spéïss soute*	costume d'astronaute
spaghetti	*spaguetti*	spaghetti
spear	*spieu(r)*	lance
spider	*spaïdeu(r)*	araignée
sponge	*spondje*	éponge
sports car	*spôotss kâa(r)*	voiture de sport
spurs	*speu(r)z*	éperons
starfish	*stâa(r)fiche*	étoile de mer
statue	*statiou*	statue
Statue of Liberty	*statiou ov libeuti*	statue de la Liberté
steps	*stépss*	marches (d'escalier)
stetson	*stétsone*	stetson
stilthouse	*stilthaousse*	maison sur pilotis
stilts	*stiltss*	échasses
stone	*stôoune*	pierre
Stonehenge	*stôounehèndje*	Stonehenge
storage tank	*storidje tank*	réservoir
strawberries	*straubrize*	fraises
submarine	*sœubmeuriine*	sous-marin
sugar cane	*chougeu(r) kéïne*	canne à sucre
sunflower	*sœunflaoueu(r)*	tournesol